l'affaire du blob

HACHETTE
Jeunesse

C'est horrible !

En Polynésie, sur l'île de Bora Bora, les lauréats du Grand Prix de l'Académie des Sciences viennent de subir une terrible attaque de Blobs ! Ces monstres aux allures de méduses visqueuses, sautent au visage de leurs victimes pour se nourrir de leur mémoire ! Il semble que les Blobs se reproduisent très rapidement et, si l'on ne fait rien, le monde entier pourrait bien devenir amnésique !

Pendant ce temps, les Totally Spies, en cours de poterie, ont aussi leurs problèmes.

« C'est bientôt la photo de classe et je n'ai rien à me mettre ! dit Clover.

— A votre avis, je sors mon sourire vamp ou ultra-naturel ? » ajoute Alex.

Tout le monde veut être inoubliable sur la photo de classe, surtout Mandy : « Dommage pour vous, Les filles ! Grâce à ma nouvelle coupe, on ne verra que moi sur la photo ! »

Sur un mouvement de tête, Mandy envoie sa longue crinière noire s'entortiller dans le tour de potier. D'un bond, Sam arrête la machine et libère Mandy.

« Oh, Sam ! tu m'as sauvé la vie ! s'écrie Mandy.

— N'exagérons rien, disons que j'ai sauvé ton scalp !

— Mes cheveux, j'y tiens plus que tout au monde ! A partir d'aujourd'hui, Sam, tu es ma meilleure amie.

— Oh non, euh... sans façon ! »

Sam n'avait pas prévu ça ! Comment se dépêtrer de Mandy devenue pot de colle ?

« Ce soir, je t'invite au restaurant et ensuite on ira au ciné. T'es d'accord, ma Sam ? » surgit Mandy.

Sam sourit mais n'en pense pas moins : « Ce serait tellement bien si Jerry avait la bonne idée de nous convoquer maintenant ! »

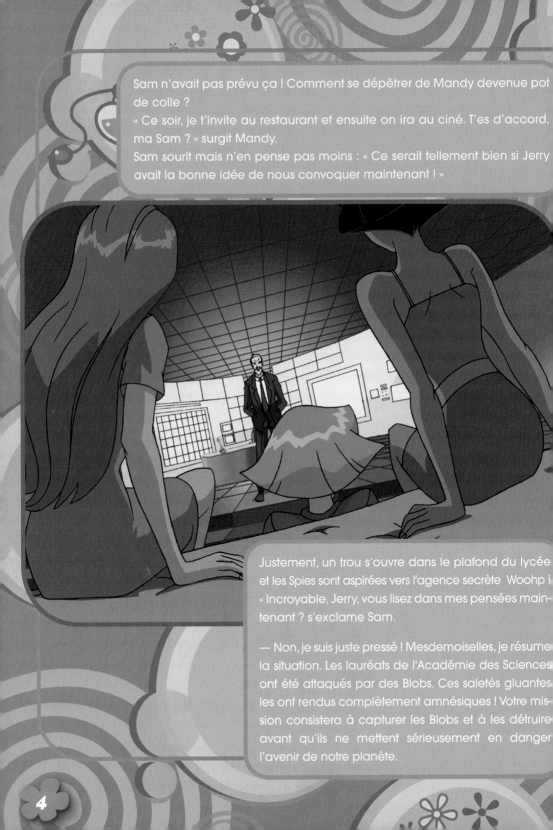

Justement, un trou s'ouvre dans le plafond du lycée et les Spies sont aspirées vers l'agence secrète Woohp ! « Incroyable, Jerry, vous lisez dans mes pensées maintenant ? s'exclame Sam.

— Non, je suis juste pressé ! Mesdemoiselles, je résume la situation. Les lauréats de l'Académie des Sciences ont été attaqués par des Blobs. Ces saletés gluantes les ont rendus complètement amnésiques ! Votre mission consistera à capturer les Blobs et à les détruire avant qu'ils ne mettent sérieusement en danger l'avenir de notre planète.

Pour vous aider dans votre travail, je vous ai préparé une panoplie de gadgets dernier cri.

Premièrement le CAM, Casque Autonome Multifonctions : il assurera votre sécurité sous l'eau et vous permettra de suivre les Blobs dans les profondeurs du Pacifique. Deuxième accessoire, le Portalab. Ce microlaboratoire portable analysera le moindre indice que vous découvrirez. Enfin, pour vos déplacements, vous chevaucherez Com Vox, la moto à commande vocale. »

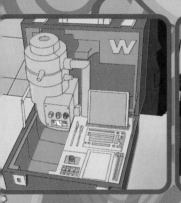

Clover l'adore déjà :

« A commande vocale ! Et si on est enroué ? Bon, je n'ai rien dit… Euh, au fait, Jerry, on les trouve où ces ignobles Blobs ?

— En Polynésie, à Bora Bora !

— A Bora Bora !…»

Ces deux mots agissent sur les Spies comme une formule magique.

« Ooh ! Les cocotiers, la plage, le soleil… Pas trop déçu de rester au bureau, Jerry ?

— Méfiez-vous, les filles, la mission Blobs ne sera pas une partie de plaisir ! »

Si vous ne connaissez pas Bora Bora, disons que c'est ce que l'on peut appeler une île paradisiaque.

« Aaah… qui aurait pu imaginer qu'un jour Jerry nous enverrait bronzer à Bora Bora ! dit Clover.

— Clover, on n'est pas en vacances ! la raisonne Sam.

— Je sais, mais jouer les touristes en bikini reste la couverture idéale pour passer inaperçues ! »

« Aaah ! Qu'il est doux de s'allonger sur la plage, de laisser glisser entre ses doigts les grains de sable, les matières gluantes… » Alex se redresse d'un bond et observe cette « chose » collée à sa main : « Beurk ! Qu'est-ce que c'est que ce truc ? On dirait du Blob ! »

« C'est bien du Blob ! dit Sam. Le scanner moléculaire indique que cette substance gélatineuse n'est pas organique mais chimique ! Ça veut dire que quelqu'un a fabriqué ces monstres ! Je transmets ces données à Jerry pour qu'il fasse des analyses plus poussées. Quant à nous, allons voir comment se portent nos scientifiques. »

A l'hôtel de Bora Bora, l'état de santé des savants ne s'est pas amélioré. Ces génies de la recherche ne se rappellent même plus ce que signifie le mot biologie !

Les Spies s'apprêtent à partir quand l'ennemi décide enfin de se montrer au grand jour.

« Regardez ! Des dizaines de Blobs ! s'écrient les Spies. Ils passent par les bouches de climatisation et s'entassent au milieu de la pièce ! On dirait qu'ils veulent créer une sorte de champ d'énergie ! »

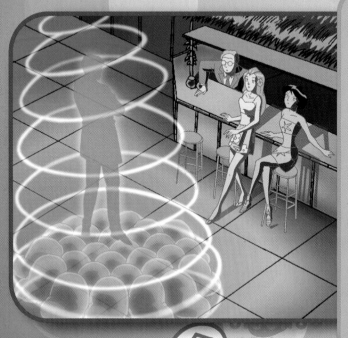

Au centre d'un puissant halo de lumière, une image apparaît : l'image de leur créateur !

« Qui êtes-vous ? s'écrie Sam.

— Celui qui vous donne jusqu'à demain matin pour réunir un million de dollars et le déposer dans la crique de la Mort. Si vous ne répondez pas à mes exigences, mes Blobs détruiront la mémoire des plus grands dirigeants de ce monde ! »

Alex est horrifiée :

« Jamais je n'aurais imaginé quelque chose d'aussi atroce, même dans mes pires cauchemars.

– Saluuut, Saaaam ! »

Devinez qui vient de franchir la porte de l'hôtel...

Mandy ! et s'il y en a une dont les Spies se seraient bien passées, c'est Mandy !

« Saaaam, quelle coïncidence ! Figure-toi qu'en me regardant dans la glace, je me suis trouvée blanche comme un cachet d'aspirine. Alors je me suis dis : Mandy, la photo de classe approche, va vite refaire ton bronzage à Bora Bora !

Ben, et vous, qu'est-ce que vous faites là ? »

Les filles, toujours sous le choc de ce débarquement imprévu, ne savent pas quoi répondre :

« Euh… Eh bien… Les îles, tu sais… on s'est dit que… »

Soudain Clover a une idée :

« On s'est dit qu'on pourrait donner des cours de danse, oui c'est ça, rap, disco, salsa, reggae…

— Vous, des profs de danse ? »

Comme pour prouver leurs nouvelles compétences, les filles se jettent dans les bras des savants amnésiques et se mettent à danser.

« Devant un tel spectacle, je préfère aller me coucher ! décrète Mandy.

— Bonne nuit, Mandy ! »

Le lendemain matin, la rançon demandée attend sur la plage de la crique de la Mort. Cachées derrière un rocher, les Spies guettent.

« Tiens, tiens, notre ami le créateur de monstres est un froussard ! chuchote Sam. Il a envoyé deux de ses méchants pour récupérer l'argent. Essayons de leur expliquer les bonnes manières ! »

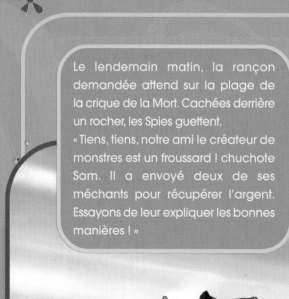

Mais les Spies ont sous-estimé leur adversaire. Les deux hommes saisissent la mallette et la jettent dans un taxi qui démarre en trombe.

« Mince, raté ! dit Clover. Si on veut remonter jusqu'au cerveau de cette histoire, il ne faut surtout pas lâcher ce taxi. Vite, nos motos ! »

Les Spies enfourchent leurs engins, contact !
Et c'est parti pour une fantastique poursuite. Leurs bolides
à commande vocale collent à la route.
Alex a un plan : « Je double le taxi et je lui barre la route... »

Mais le taxi, qui n'est pas tout à fait un modèle standard, accélère de plus belle.
« Il nous distance ! On passe en mode supersonique », commande Sam.

Les trois machines se cabrent. Dans un rugissement de moteurs, Sam,
Alex et Clover sont littéralement collées à leurs selles par la violence de
l'accélération ! Les Spies ne sont plus qu'à quelques mètres... mais le taxi
arrive en ville et disparaît dans les embouteillages.

En ville, rien ne ressemble plus à un taxi qu'un autre taxi.

« Et voilà ! on l'a perdu ! » soupire Alex.

Mais pour Sam, pas question de laisser filer les méchants.

D'un coup d'accélérateur, elle grimpe sur la remorque d'un camion pour prendre de la hauteur.

« D'ici j'ai peut-être une chance d'apercevoir le taxi, se dit-elle. Oui, il est là ! » Sam bondit sur le toit des voitures pour parvenir jusqu'au taxi.

« Félicitations, mademoiselle, vous avez gagné un petit souvenir », entend-elle une voix.

L'homme arme son canon à Blob et projette une horrible créature au visage de Sam !

Alex et Clover arrivent trop tard. Les hommes ont réussi à s'enfuir et Sam s'est fait blober !

Comme si elle le faisait exprès, Mandy débarque juste à ce moment-là.
« Alors, Sam, tu fais ton shopping ? Moi, je me suis offert un petit haut en solde. Une merveille !

— Euh… Je peux savoir qui vous êtes, mademoiselle ? » demande Sam perplexe.

Le Blob a totalement effacé la mémoire de Sam. Elle ne reconnaît plus Mandy !

Alex et Clover essaient de sauver les apparences :
« C'est vrai, qui êtes-vous, mademoiselle, hein ? Ha ! Ha ! On s'entraîne pour un nouveau jeu. Il faut faire semblant de ne pas reconnaître nos amis. Sam est très forte à ce petit jeu !

— Eh, ça a l'air drôlement amusant, je peux jouer avec vous ? s'écrie Mandy.

— Tu pourras participer à la seconde manche mais elle se dispute toujours en jet-ski. Va vite en louer un et rejoins-nous à la marina. Tchao et à plus tard ! »

De retour à l'hôtel, les Spies sont contactées par Jerry.

« J'ai du nouveau pour votre enquête, leur annonce-t-il. L'analyse du Blob que vous avez découvert nous a permis de remonter jusqu'à un certain Lester Crowley. Ce scientifique raté a longtemps travaillé à l'Institut océanographique sur un remède contre l'amnésie. Il testait ses formules sur des créatures aquatiques.

— Et il a réussi ? demande Alex.

— Absolument pas ! Depuis, il voue une haine sans limites à tous ceux qui réussissent dans leurs recherches. On sait qu'il a quitté l'Institut en emportant une grande quantité de matériel de laboratoire. Il n'y a aucun doute que Lester Crowley est le père des terribles Blobs. Je compte sur vous, les filles, pour mettre la main dessus et l'empêcher définitivement de nuire. »

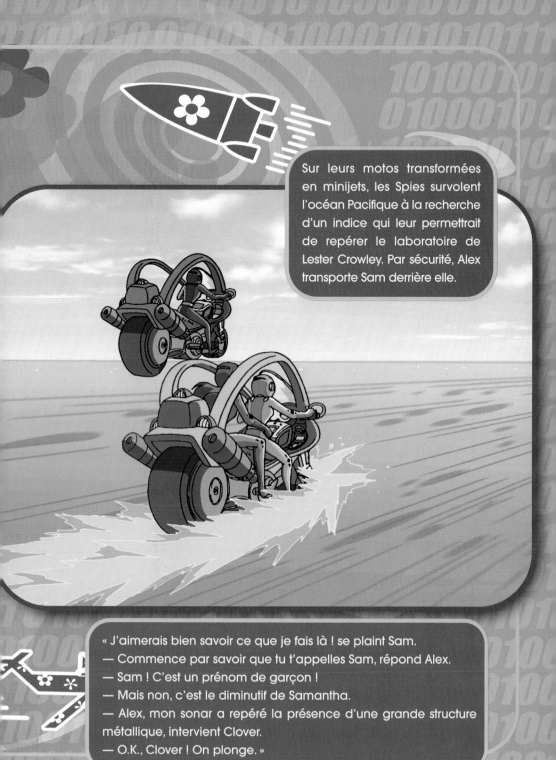

Sur leurs motos transformées en minijets, les Spies survolent l'océan Pacifique à la recherche d'un indice qui leur permettrait de repérer le laboratoire de Lester Crowley. Par sécurité, Alex transporte Sam derrière elle.

« J'aimerais bien savoir ce que je fais là ! se plaint Sam.
— Commence par savoir que tu t'appelles Sam, répond Alex.
— Sam ! C'est un prénom de garçon !
— Mais non, c'est le diminutif de Samantha.
— Alex, mon sonar a repéré la présence d'une grande structure métallique, intervient Clover.
— O.K., Clover ! On plonge. »

Les combinaisons de plongée mises au point par le Woohp fonctionnent à merveille.

Sous la surface de l'eau, les Spies ne tardent pas à découvrir une immense bulle de verre et d'acier.

« Je suis sûre qu'un certain Lester Crowley travaille ici ! » dit Clover.

Une petite pastille explosive contre le sas d'entrée et les trois amies se retrouvent propulsées à l'intérieur.

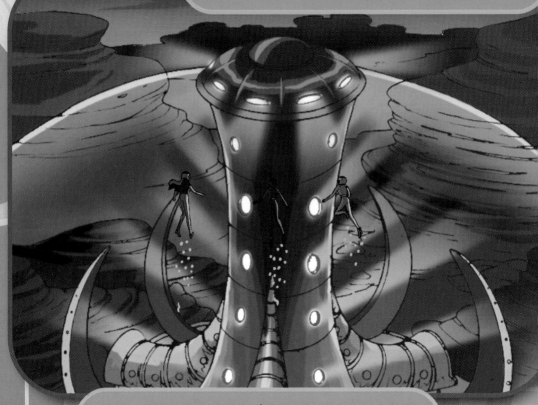

« Mais qu'est-ce que je fais là ! continue de se plaindre Sam. En plus, maintenant, je suis trempée. »

Clover essaie d'expliquer à Sam la situation :

« Sam, nous sommes dans un laboratoire sous-marin à la recherche de quelqu'un de très méchant que nous devons attraper, tu comprends ? »

Pas vraiment convaincue, Sam s'enfonce en compagnie de ses amies dans une gaine d'aération.

Pendant ce temps, dans son laboratoire, le terrible docteur Crowley peaufine son plan machiavélique :
« Nous allons pouvoir aborder la dernière phase de mon plan ! Grâce à mes Blobs, toutes les mémoires de la planète tiendront dans ma main. Ma vengeance réduira l'humanité à néant ! »
Derrière une grille d'aération, les Spies assistent à la scène.
« Tu vois, Sam, c'est lui, le méchant que l'on cherche. »
Soudain, Sam pousse la grille…

« Alors, c'est vous le méchant ? » demande-t-elle.
Sa voix résonne dans le laboratoire. Alex et Clover n'en croient pas leurs oreilles !
« Sam, mais tu es complètement folle ! »
Trop tard ! Les Spies ont été repérées.
« Gardes ! Attrapez-moi ces trois filles. Mes Blobs ont faim ! Ha ! Ha ! Ha ! »

« J'espère que vous saurez apprécier à sa juste valeur l'ingénieux processus de fabrication de mes Blobs, dit Lester Crowley. A peine sortis de leur cocon, ils se jettent au visage de la personne la plus proche pour aspirer sa mémoire.

— Et ces trois sacs devant nous, c'est quoi ? demande Alex un peu anxieuse.

— Dommage que je n'aie pas le temps d'assister au repas de mes petites bêtes, mais je suis sûr qu'elles vont se régaler ! Ha ! Ha ! Ha !

— Crowley, vous êtes un monstre ! crie Clover.

— Un monstre qui a du travail. Mon vaisseau est prêt ! Dans quelques heures, je lâcherai mes Blobs sur New York et ma prise de contrôle du monde commencera. Adieu ! »

« Aaahh ! Ils avancent ! C'est trop horrible, on va se faire blober ! »
Dans les situations désespérées, il faut parfois compter sur une aide
inespérée. Mandy, à qui les Spies avaient donné rendez-vous,
traverse le laboratoire en jet-ski et pulvérise les trois Blobs affamés !

Les filles sont sauves et Alex doit bien reconnaître que Mandy
y est pour beaucoup :
« Jamais je n'aurais pensé devoir dire ça un jour, mais…
merci, Mandy !
— Il est génial votre jeu, et maintenant, qu'est-ce qu'on fait ?
demande Mandy, ravie.
— Toi, tu restes là, nous, on finit la partie ! »

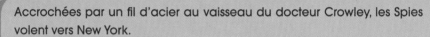

Accrochées par un fil d'acier au vaisseau du docteur Crowley, les Spies volent vers New York.

Quant à Mandy, malencontreusement embarquée, elle fait aussi partie du voyage !

Les Spies se hissent jusqu'à la salle de conservation des Blobs.

« Beurk ! Ces créatures sont trop dégoûtantes. Détruisons-les ! » dit Clover.

Elle n'a pas terminé sa phrase que des gardes armés de canon à Blob ouvrent le feu ! Deux mollusques visqueux arrivent à vive allure. Face à une telle situation, Clover se souvient de ses cours d'arts martiaux :

« Tu dois retourner la force de ton ennemi contre lui ! C'est ce que disait le grand Maître... euh, je ne sais plus trop quoi... »

Un salto, une pirouette – Clover évite les projectiles au dernier moment et c'est le garde qui prend les deux Blobs en pleine tête.

« Vite ! Au poste de pilotage ! crient les Spies suivies de Mandy. Ce petit jeu a assez duré, Crowley, demi-tour et direction la prison ! »

Mais Crowley cabre son vaisseau. Déséquilibrées, les filles roulent jusqu'à la salle des Blobs. La porte se verrouille derrière elles ! « Détruisons les aquariums contenant les Blobs avant qu'il ne soit trop tard ! décide Alex.
— J'ai une idée ! » s'écrie Clover en poussant Mandy contre le tableau de contrôle. Immanquablement, les longs cheveux noirs s'emmêlent dans les fils électriques. C'est un court-circuit et… Boum ! la magnifique collection de Blobs est anéantie.

La porte s'ouvre. C'est Crowley.
« Malheureuses, qu'avez-vous fait ?
— Vous, ça suffit ! »
Alex et Clover engagent un combat à main nue pour le maîtriser. Sam, toujours amnésique, se rend tout de même compte du côté critique de la situation :
« Je ne voudrais pas vous déranger dans votre travail, mais le vaisseau est en feu et dans quelques secondes, nous allons nous écraser. »

Au-dessus du ciel de New York, le vaisseau de la terreur est pulvérisé par l'explosion. Heureusement, les Spies ne sortent jamais sans parachute. Alex atterrit avec Mandy dans les bras. Les quatre filles sont sauves. Même l'horrible docteur a réussi à s'en sortir.

« Crowley, vous allez rendre à Sam toutes ses facultés. Passez-moi le truc dans lequel vous stockez la mémoire des gens ! » commande Alex.

Bien malgré lui, le docteur s'exécute. Alex braque sur le front de Sam un appareil en forme de loupe. Un faisceau de lumière traverse son crâne. Inquiète, Alex pose la question :

« Est-ce que tu sais qui tu es ?
— Ben évidemment, je m'appelle Sam et on travaille toutes les trois pour le Woohp, une agence de renseignement ultrasecrète. Et nous devons empêcher d'horribles créatures d'envahir le monde. Pourquoi vous me posez cette question ? » Alex et Clover sont soulagées.

Mandy est sous le choc de tout ce qu'elle vient d'apprendre :
« Oh, c'est pas croyable ! Alex, Sam et Clover sont des espionnes. C'est génial ! Quand je vais raconter ça au lycée, je vais avoir un de ces succès... »
Face à la réaction de Mandy, les Spies perdent le sourire.
« Maintenant, on a un sérieux problème à régler... murmure Sam.

— Sam, je crois que j'ai la solution. »
Clover attrape un canon à Blobs et appuie sur la détente. La dernière créature visqueuse vient se coller sur le visage de Mandy.
« Finalement, ces Blobs sont plutôt pratiques quand on veut tout oublier », sourit Sam.

Une fois de plus, les Spies ont réussi leur mission. Alors, les filles, à quand la prochaine ?

QUELLE AMIE ES-TU ?

Être la meilleure amie de Mandy n'est pas de tout repos...
Sam en sait quelque chose !
Et toi, ressembles-tu un peu, beaucoup ou pas du tout
à Mandy ? C'est le moment de faire le point !

1 *Une copine te sauve la mise dans une situation délicate :*
- Tu la remercies en lui promettant : « Tu peux compter sur moi la prochaine fois ! »
- Tu lui rends service sur service, même quand elle ne te demande rien.
- C'est supersympa mais plutôt normal. Tu aurais sûrement fait la même chose !

2 *Tes amies, tu les appelles...*
- Si peu que c'est elles qui finissent par décrocher leur téléphone !
- Tous les jours ou presque. Sinon, c'est que tu es clouée au lit !
- Quand tu as un truc à leur raconter (une fois par semaine, à peu près).

3 *Une fille essaie de sympathiser avec ta petite bande. C'est donc...*
- Un pot de colle doublé d'une piqueuse de copines !
- Pas une gêneuse... sauf si elle insiste lourdement.
- Une nana qui vous trouve cool. Et peut-être une future amie.

4 *Ta règle d'or de l'amitié :*
- Se séparer le moins souvent possible.
- Ne pas se rendre de comptes.
- Trouver la bonne distance pour ne pas s'étouffer.

5 *Une amie t'a caché un secret...*
- Où est le problème ? Vous n'êtes pas obligées de tout vous dire !
- Tu es carrément vexée : elle t'a trahie ! Elle ne te fait pas confiance !
- Ça te chagrine un peu. Mais bon, elle a sans doute ses raisons.

6 *Tu es rigolote, elle est sérieuse. Tu as la pêche, elle est calme. Conclusion :*
- Une amitié entre vous, ce ne sera pas facile... mais intéressant.
- Tu ne seras jamais amie avec une fille si différente de toi !
- Vous vous complétez pile poil... Bonne entente assurée !

7 *Tu pourrais te mettre très en colère parce qu'une amie...*
- Préfère la compagnie de Caroline (une pimbêche) à la tienne.
- Pique des crises de jalousie dès que tu parles à une autre.
- A tendance à abuser trop souvent de ton bon cœur.

8 *Depuis une semaine, une copine s'éloigne de toi. Ta réaction :*
- « Je laisse tomber, elle reviendra bien un jour ou l'autre ! »
- Lui proposer deux fois mais pas trois : « On s'explique ? »
- Lui demander dix fois par jour : « Qu'est-ce que je t'ai fait, réponds ! »

9 *Des amies, tu en as :*
- Quelques-unes, qui ne se connaissent pas forcément.
- Très peu. Une ou deux, ça te suffit largement !
- Des tas. Enfin, c'est plus des copines que des amies.

```
S C O C O T I E R S A
P O L Y N E S I E V P
I L L O P A R A S O L
E M O E V O S T B I A
S A A N I E U O A L G
A I P N G L R L T I E
N L A A D E F L E E A
D L L G L Y E E A R L
A O M E L M B O U E E
L T E R P A I L O T X
E R S E A U C E S A M
S H O R T S J E R R Y
```

ALEX
ATOLL   PARASOL
BATEAU   PLAGE
BOUÉE   PLONGÉE
CLOVER   POLYNÉSIE
COCOTIERS   SABLE
ÎLOT   SAM
JERRY   SANDALES
GLACE   SEAU
MAILLOT   SHORTS
MANDY   SOLEIL
NAGER   SPIES
PALMES   SURF
PALMIER   VOILIER

✦ SOUS LE SOLEIL

Trouve dans la grille tous les mots de la liste. Ils peuvent se lire comme ceci ⟋ et la même lettre peut servir plusieurs fois. Assemble ensuite les 5 lettres non barrées : tu sauras ce que les Spies n'ont pas oublié d'emporter à Bora-Bora.

✦ UN PAR UN

En traçant seulement 3 traits à la règle, isole sans les couper toutes les affaires des Spies !

Je vais vous jouer un air des îles...

Non, merci, je n'aime pas la vanille !

Mon copain, là, il a un truc à vous proposer !

Les filles, vous avez vu mes muscles ?

Une partie de volley, ça vous dit ?

Ils sont collants, ces garçons...

Un rafraîchissement, belle sirène ?

Tu as raison ! Mais ils font bien les cocktails...

3❀ MOTS CROISÉS

Rends sa bulle à chaque personnage.

DUSIROPDEMENTHE
DELALIMONADE DUCHOCOLATFONDU
DESGLAÇONS DELAGLACEÀLAFRAISE DUSIROPDORGEAT
UNETRANCHEDORANGE UNEFRAISE

4❀ TCHIN ! TCHIN !

Déchiffre ces « ingrédients » et barre les trois qui, à ton avis, ne font pas partie du cocktail d'Alex.

✿ C'EST FLÉCHÉ !

Remplis la grille puis reporte les lettres dans les cases numérotées :
tu sauras de quoi auraient besoin les Spies pour remplir leur mission...

1	2	3		4	5	6	7	8	9		10	11	12	13	14	15

I — Séjours dans l'eau

Quartier général

II

III — Venu au monde

IV — Divinité — 12

Manche de tennis

Je, tu,... — 7

Choisir par vote — 3

V

VI

9

..., te, se — 6

VII

Tu la sens avec ton nez — **Infinitif verbal** — 1

VIII

IX

X

10

XI — Esprit — 13

Beaucoup

XII

Bon copain

11 ans, c'est son...

11 — **Désagréable au goût** — 15

Pas beaucoup

Perroquet multicolore

Les Spies y bronzent — 4

XIII

Mot de liaison

Vieux do ou début d'utile

5 — **1** — 2

XIV

8

XV

La saison des vacances — 14

I, II, III, IV, V, VI, VII, VIII, IX, X, XI, XII, XIII, XIV, XV

Totally Spies!™

29

Jeux

6 ✿ LA BONNE PISTE

Trace le chemin qui mène Clover au Blob en passant par un rond rouge, puis vert, puis bleu et ainsi de suite. Tu peux te déplacer dans tous les sens sauf en diagonale et tous les ronds doivent être voisins.

BOLBBLOLBLOBOBOOLBLBOBLOBOLBLOLBLOBOLOBOBLOBOLOBLOBOLOBLOL

7 ✿ EN TOUTES LETTRES

Combien de BLOB vois-tu dans cette suite de lettres ?

Aujourd'hui, il m'est arrivé une chose sympa : j'ai rencontré une fille très bizarre qui s'appelle Alex. Elle m'a dit : « Tu as un prénom étrange, Mandy. » Je ne sais pas comment elle connaît mon air, je ne l'ai jamais vue de ma tête ! Et quand elle m'a demandé des copines de mes filles Sam et Clover, j'ai pensé qu'elle avait perdu la vie. Je n'ai jamais entendu parler de ces nouvelles-là !

8✿ UN MOT POUR UN AUTRE

Après s'être fait blobber, Sam ne sait plus ce qu'elle dit ! Remets les mots rouges à leur bonne place.

résultats du test

Ton profil correspond au symbole  qui revient le plus souvent dans tes réponses.

Changer d'amie comme de chemise, ce n'est pas du tout ton style : quand tu as donné ton amitié, c'est pour la vie. Fille fidèle, tu peux aussi te montrer trop exigeante, voire possessive… ce qui, là, n'est plus une qualité – et risque de faire fuir tes copines ! En bref : Mandy, tu ne la connais pas, mais tu lui ressembles !

Jouer la Mandy collante comme du chewing-gum, pas question ! Ta devise, c'est : « chacun(e) fait ce qui lui plaît, à commencer par moi ! » Indépendante, détachée même, tu ne conçois pas l'amitié sans la liberté. Ce qui peut refroidir plus d'une copine… Alors, pour éviter de te retrouver seule, montre-toi plus chaleureuse !

En amitié, tu es plus proche des Spies que de Mandy. Attentive et dévouée à tes amies, tu sais aussi garder tes distances et respecter leurs différences… du moins, tu essaies ! Car il arrive que ton petit côté « Mandy exclusive » pointe le bout de son nez. Mais tant que tu le gardes sous contrôle, c'est parfait !

solutions

1❀ SOUS LE SOLEIL

Leur paréo.

2❀ UN PAR UN

3❀ MOTS CROISÉS

Les filles, vous avez vu mes muscles ?

Un rafraîchissement, belle sirène ?

Non, merci, je n'aime pas la vanille !

Tu as raison ! Mais ils font bien les cocktails...

Mon copain, là, il a un truc à vous proposer !

Une partie de volley, ça vous dit ?

Je vais vous jouer un air des îles...

Ils sont collants, ces garçons...

4❀ TCHIN TCHIN !

Dans le cocktail d'Alex il y a DE LA LIMONADE, DU SIROP DE CASSIS, DES GLAÇONS, UNE TRANCHE D'ORANGE, UNE PAILLE, mais pas DE LA GLACE À LA FRAISE, DU SIROP DE MENTHE, DU CHOCOLAT FONDU.

5❀ C'EST FLÉCHÉ !

Les Spies auraient besoin d'UNE PETITE SIESTE !

I — Séjours dans l'eau ↓M	Quartier général II	↓Q	III — Venu au monde ↓P	IV — Divinité ↓M	Manche de tennis
B A I	G	N A D	E	S (12)	
Je, tu,... 7 → I L	Choisir par vote ↓	E L I	R	E	
V → C L E S	VI ↓	M E ...te, se VII 9	VIII 6	T	
IX → L	Tu la sens avec ton nez / infinitif verbal ↓	O D E U R	1 R	X	
→ V O I L E S		10	XI Esprit A	S 13	
Beaucoup XII → T R E S		Bon copain A	11 ans, c'est son... M I		
O S	Pas beaucoup → I	Désagréable au goût / Perroquet multicolore A	M E R 11 15		
Les Spies y bronzent / Mot de liaison XIII → P	L A G E 4		Vieux do ou début d'utile		
→ F E E	XIV → R E	1 U N 5 2			
→ XV T U B A	La saison des vacances → E T E 8 14				

6❀ LA BONNE PISTE

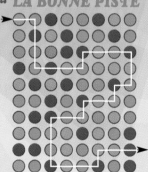

7❀ EN TOUTES LETTRES

5 fois.

8❀ UN MOT POUR UN AUTRE

Aujourd'hui, il m'est arrivé une chose bizarre : j'ai rencontré une fille très sympa qui s'appelle Mandy. Elle m'a dit : « Tu as un air étrange, Sam. » Je ne sais pas comment elle connaît mon prénom, je ne l'ai jamais vue de ma vie ! Et quand elle m'a demandé des nouvelles de mes copines, Alex et Clover, j'ai pensé qu'elle avait perdu la tête. Je n'ai jamais entendu parler de ces filles-là !